WATCHMAN NEE

Adoramos a Dios por Sus caminos

Living Stream Ministry
Anaheim, California

ISBN 0-7363-0184-4

Traducido del inglés
Título original:
Worshipping the Ways of God
(Spanish Translation)

Living Stream Ministry
1853 W. Ball Road, Anaheim, CA 92804 USA
P. O. Box 2121, Anaheim, CA 92814 USA
98 99 00 01 02 / 9 8 7 6 5 4 3 2 1

ADORAMOS A DIOS
POR SUS CAMINOS

"El hombre entonces se inclinó, y adoró a Jehová, y dijo: Bendito sea Jehová, Dios de mi amo Abraham, que no apartó de mi amo su misericordia y su verdad, guiándome Jehová en el camino a casa de los hermanos de mi amo" (Gn. 24:26-27).

"Cuando el criado de Abraham oyó sus palabras, se inclinó en tierra ante Jehová. Y sacó el criado alhajas de palta y alhajas de oro, y vestidos, y dio a Rebeca; también dio cosas preciosas a su hermano y a su madre" (vs. 52-53).

"Y habló Aarón acerca de todas las cosas que Jehová había dicho a Moisés, e hizo las señales delante de los ojos del pueblo. Y el pueblo creyó; y oyendo que Jehová había visitado a los hijos de Israel, y que había visto su aflicción, se inclinaron y adoraron" (Ex. 4:30-31).

"Y vosotros responderéis: Es la víctima de la pascua de Jehová, el cual pasó por encima de las casas de los hijos de Israel en Egipto, cuando hirió a los egipcios, y libró nuestras casas. Entonces el pueblo se inclinó y adoró" (12:27).

"Y Jehová descendió en la nube, y estuvo allí con él, proclamando el nombre de Jehová. Y pasando Jehová por delante de él, proclamó: ¡Jehová! ¡Jehová! fuerte, misericordioso y piadoso; tardo para la ira, y grande en misericordia y verdad; que guarda misericordia a millares, que perdona la iniquidad, la rebelión y el pecado, y que de ningún modo tendrá por inocente al malvado; que visita la iniquidad de los padres sobre los hijos y sobre los hijos de los hijos, hasta la tercera y cuarta generación. Entonces Moisés, apresurándose, bajó la cabeza hacia el suelo y adoró. Y dijo: Si ahora, Señor, he hallado gracia en tus ojos, vaya ahora el Señor en medio de nosotros; porque es un pueblo de dura cerviz; y perdona nuestra iniquidad y nuestro pecado, y tómanos por tu heredad" (34:5-9).

"Estando Josué cerca de Jericó, alzó sus ojos y vio un varón que estaba delante de él, el cual tenía una espada desenvainada en su mano. Y Josué, yendo hacia él, le dijo: ¿Eres de los nuestros, o de nuestros enemigos? El respondió: No; mas como príncipe del ejército de Jehová he venido ahora. Entonces Josué, postrándose sobre su rostro en tierra, le adoró; y le dijo: ¿Qué dice mi Señor a su siervo?" (Jos. 5:13-14).

"Cuando Gedeón oyó el relato del sueño y su interpretación, adoró; y vuelto al campamento de Israel, dijo: Levantaos porque Jehová ha entregado el campamento de Madián en vuestras manos" (Jue. 7:15).

"Por este niño oraba, y Jehová me dio lo que pedí. Yo, pues, lo dedico también a Jehová; todos los días que viva, será de Jehová. Y adoró allí a Jehová" (1 S. 1:27-28).

"Y al séptimo día murió el niño; y temían los siervos de David hacerle saber que el niño había muerto, diciendo entre sí: Cuando el niño aún vivía, le hablábamos, y no quería oír nuestra voz; ¿cuánto más se afligirá si le decimos que el niño ha muerto? Mas David, viendo a sus siervos hablar entre sí, entendió que el niño había muerto; por lo que dijo David a sus siervos: ¿Ha muerto el niño? Y ellos respondieron: Ha muerto. Entonces David se levantó de la tierra, y se lavó y se ungió, y cambió sus ropas, y entró a la casa de Jehová, y adoró. Después vino a su casa, y pidió, y le pusieron pan, y comió" (2 S. 12:18-20).

"Y un día aconteció que sus hijos e hijas

comían y bebían vino en casa de su hermano primogénito, y vino un mensajero a Job, y le dijo: Estaban arando los bueyes, y las asnas paciendo cerca de ellos, y acometieron los sabeos y los tomaron, y mataron a los criados a filo de espada; solamente escapé yo para darte la noticia. Aún estaba éste hablando, cuando vino otro que dijo: Fuego de Dios cayó del cielo, que quemó las ovejas y a los pastores, y los consumió; solamente escapé yo para darte la noticia. Todavía estaba éste hablando, y vino otro que dijo: Los caldeos hicieron tres escuadrones, y arremetieron contra los camellos y se los llevaron, y mataron a los criados a filo de espada; solamente escapé yo para darte la noticia. Entre tanto que éste hablaba, vino otro que dijo: Tus hijos y tus hijas estaban comiendo y bebiendo vino en casa de su hermano primogénito; y un gran viento vino del lado del desierto y azotó las cuatro esquinas de la casa, la cual cayó sobre los jóvenes, y murieron; y solamente escapé yo para darte la noticia. Entonces Job se levantó, y rasgó su manto, y rasuró su cabeza, y se postro en tierra y adoró" (Job 1:13-20).

Examinemos esto delante de Dios. Si en realidad tenemos la intención de adorar a

Dios, es imposible que lo adoremos a El solamente. No digo que no debamos adorar a Dios. Tenemos que adorarle, pero tengan presente que vendrá el día en que Dios abrirá nuestros ojos para que veamos que El es más que simplemente nuestro Padre; también lo conoceremos como nuestro Dios. Necesitamos ver que no sólo somos Sus hijos, sino también Sus esclavos. Cuando veamos esta revelación y conozcamos a Dios, inmediatamente lo adoraremos. Sin embargo, no debemos detenernos allí. Cada vez que tengamos una revelación y un encuentro con Dios, espontáneamente aceptaremos Sus caminos.

La Palabra de Dios nos muestra que necesitamos conocer a Dios y también Sus caminos. Dios únicamente puede ser conocido por revelación, y Sus caminos sólo pueden conocerse mediante la sumisión. Podemos conocer a Dios por medio de Su revelación, y podemos conocer Sus caminos estando dispuestos a ser disciplinados y sometiéndonos a El.

¿Qué son los caminos de Dios?

¿Qué son los caminos de Dios? Son el modo en que Dios se relaciona con nosotros. Sus caminos indican lo que El desea hacer; son las decisiones que El toma con respecto a nosotros. Estos caminos son más altos que los nuestros (Is. 55:9). El dispone las cosas según Su conocimiento, y no deja lugar para nuestra opinión. El trata a cada persona de una manera diferente. Sus caminos son lo que El sabe que es mejor para nosotros y nos muestran que El actúa según Su deseo y determinación.

Muchos titubean ante el hecho de que sin una revelación de Dios es imposible aceptar Sus caminos. Nos preguntamos: "¿Por qué Dios amó a Jacob y no a Esaú?" Quizá nos parezca que Dios fue injusto con Esaú, y nos indignemos por la manera en que Esaú fue tratado. Tal vez pensemos que Esaú era un buen hombre que fue engañado en todo aspecto y que Jacob era el malo. No obstante, Dios dijo: "A Jacob amé, mas a Esaú aborrecí" (Ro. 9:13). Aún así traemos a colación nuestros argumentos al respecto. Quienes así razonan, no han visto a Dios. Aquellos que lo han visto, saben que El es Dios y, como tal, puede actuar como le plazca. El hace lo que lo satisface a El, pues es Dios. Nadie puede decirle cómo debe actuar. El no necesita consejeros ni asesores ni una junta de consejeros que le digan cómo actuar. El hace lo que le place. Estos son los caminos de Dios.

Los caminos de Dios son lo que El escoge, lo que desea hacer, y El desea actuar de una forma específica; desea relacionarse con nosotros de cierta manera. El quiere llevar a cabo un asunto en particular y no otro. El nos hace pasar por estas circunstancias y no por otras. A esto nos referimos cuando hablamos de los caminos de Dios.

No nos limitamos a adorar a Dios

Como dijimos anteriormente, cuando una persona recibe una revelación y se da cuenta de que Dios está muy por encima del hombre, lo único que puede hacer es postrarse y adorarle. Pero no debemos detenernos allí, porque esto es algo abstracto. Debemos decir inmediatamente: "Dios, te adoro, y honro lo que Tú haces". Dios ha de conducir nuestro corazón al punto en que nos postremos en Su presencia y le digamos: "Ahora veo que no sólo te debo adorar, sino que también debo honrar lo que haces y lo que te agrada. Además debo aceptar lo que escoges. Debo adorarte por lo que has establecido para mí y por lo que te ha placido traer sobre mí y por lo que no quieres que busque". Hermanos y hermanas, es fácil adorar a Dios mientras estamos reunidos, ya que no tenemos ningún precio que pagar. Pero permítanme decirles que la verdadera adoración proviene de conocer a Dios, y de recibir una revelación Suya. Doy gracias a Dios porque lo conozco; por lo tanto, me postro ante El, y le digo: "Todo lo que has hecho está bien. Tú nunca te equivocas". Es así como aceptamos los caminos de Dios.

Aprendemos a caminar paso a paso. Asimismo si deseamos caminar delante de Dios, tendremos que aprender a aceptar Sus caminos y adorarle por ellos, no sólo porque El es Dios. Nuestro futuro espiritual depende de nuestra capacidad de adorar a Dios por Sus caminos. Así que, todos los que conocen a Dios deben ser llevados al punto en que puedan decir: "Adoro a Dios por Sus caminos. Acepto lo que El ha designado para mí. Honro todo lo que ha hecho en mí. Adoro a Dios por lo que a El le place hacer en mí. Adoro a Dios por aquello de lo que me despoja".

Los que honran los caminos de Dios

Estudiemos ahora algunos de los que adoraban a Dios en el Antiguo Testamento, y examinemos cómo lo hacían. Veremos los caminos de Dios en los ejemplos de los adoradores de Dios en el Antiguo Testamento.

Por un viaje próspero

Los caminos de Dios son lo que El quiere hacer en nosotros. Nuestro primer ejemplo se halla en Génesis 24. Recordemos la historia en que Abraham le dijo a su mayordomo: "Irás a mi tierra y a mi parentela, y tomarás mujer para mi hijo Isaac" (v. 4). Esta fue una expedición formidable. Abraham vivía en Canaán. A fin de llegar a Mesopotamia debía cruzar el río Jordán, el río Eufrates y el desierto que estaba entre ellos. Era una tarea difícil ir a una tierra extraña y muy lejana y, como sirvo, convencer a una joven de que aceptara la propuesta de matrimonio de su amo. No obstante, Eliezer acudió a Dios. El confiaba en Dios, pese a que parecía estar viajando a los confines de la tierra para buscar a los parientes de Abraham y encontrar una doncella. Lo narrado en las Escrituras en cuanto a su viaje es realmente maravilloso. Dice que cuando llegó a Nacor, la ciudad de Abraham, oró así: "Oh Jehová, Dios de mi señor Abraham, dame, te ruego, el tener buen encuentro, y haz misericordia con mi señor Abraham. He aquí yo estoy junto a la fuente de agua, y las hijas de los varones de esta ciudad salen por agua. Sea, pues, que la doncella a quien yo dijere: Baja tu cántaro, te ruego, para que yo beba, y ella respondiere: Bebe, y también daré de beber a tus camellos; que sea ésta la que tú has destinado para tu siervo Isaac; y en esto conoceré que habrás hecho misericordia con mi señor" (vs. 12-14). Esta oración parecía difícil de responder. Pero no había terminado aún de orar, cuando Rebeca llegó al pozo.

Ya conocemos esta historia, y cómo todo sucedió conforme había pedido Eliezer, hasta el más mínimo detalle. ¿Qué habría sucedido si esta doncella no hubiese sido de la familia de Abraham? Como sabemos, la tipología usada aquí es la de Cristo y la iglesia; ambos de la misma familia. "Así el que santifica como los que son santificados, de uno son" (He. 2:11). Rebeca debía tener el mismo origen que Isaac. ¿Qué habría sucedido si ella hubiese sido de otro linaje, por ejemplo de Siria o de Babilonia? Por esto Eliezer le preguntó acerca de su parentela. Tan pronto descubrió que, en efecto, ella era de la familia de Abraham, se inclinó y adoró a Jehová (Gn. 24:23-27). ¿Podemos ver esto? Estos son los caminos de Dios. Si solamente aprendiéramos a reconocer al Señor en todos nuestros caminos como dice Proverbios 3:6, veríamos a Dios actuando. Si le pedimos que haga algo, y creemos confiadamente, entonces cuando las cosas sucedan según nuestra petición, adoraremos a Dios. De este modo no adoraremos a Dios simplemente por ser Dios, sino por lo que hace. Eliezer inmediatamente se inclinó y adoró al Señor, como si dijese: "Tú me has concedido gracia, así como has dado gracia a mi señor Abraham, pues me has guiado en el camino".

Hermanos y hermanas, ¿comprendemos lo que significa adorar a Dios? Significa darle toda la gloria a El. Si todo sale bien después de que oramos y decimos que tuvimos suerte, que las circunstancias cambiaron a nuestro favor en el momento justo, o que nosotros mismos hicimos un buen trabajo, no damos gloria a Dios. Una persona que conoce a Dios, reconoce que

11

no puede hacer otra cosa que inclinarse y adorar a Dios cuando ve que El actúa. El siervo de Abraham ni siquiera se detuvo para hablar con Rebeca. Lo primero que hizo fue adorar a Dios. No le dio vergüenza inclinarse instantáneamente; inclinó su cabeza y dijo: "Dios, te adoro".

¿Qué es la adoración? Adorar a Dios es dar gloria a El cuando hace lo que desea en nosotros. Dar gloria a Dios equivale a adorarle. ¿Queda esto claro? Debemos ver la relación que existe entre dar gloria y adorar. Darle la gloria a Dios significa adorarlo. La gloria que le damos a Dios no es otra cosa que adoración. Al inclinarnos delante de El le ofrecemos adoración. Adorar a Dios es inclinarnos ante El y decirle: "Me someto a Ti". Las personas orgullosas no pueden adorar a Dios, porque cuando su camino es próspero, lo atribuyen a su propia habilidad o a la suerte. Dicen: "Qué inteligente fui al decir esto o aquello". Piensan: "Tuve la suerte de encontrarme con tal persona". Personas así jamás dan la gloria a Dios, pues no adoran a Dios. Un verdadero adorador de Dios le ofrece alabanzas y acciones de gracias por todo lo que ha hecho por él y todo lo que le sobreviene a lo largo del camino. Permítanme decir que muchas veces no podremos evitar arrodillarnos y darle gloria a Dios. Sólo diremos: "Dios, te adoro".

Cuando el siervo de Abraham fue a la casa de Rebeca, explicó su misión a Labán, a Betuel y al resto de la familia de Rebeca, y les dijo que quería llevarse a Rebeca consigo en su viaje de regreso (Gn. 24:34-49). Después de que Labán y Betuel escucharon el relato, reconocieron la mano de Jehová y dejaron ir a Rebeca (vs. 50-51). Tal vez digamos que Eliezer tuvo mucha suerte o que él era muy astuto, y que por eso todo le salió bien. Si decimos tal cosa, demostramos que no conocemos a Dios ni lo hemos visto. Pero aquí vemos a una persona que conocía a Dios y había visto Sus hechos. El tenía una característica especial. Aun cuando su camino fue extraordinariamente próspero, no se alegró con aquellos que estaban con él ni les dio las gracias; simplemente se postró en tierra ante Jehová (v. 52). Esta es verdadera adoración.

Hermanos y hermanas, debemos aprender a reconocer los caminos de Dios. No se cómo compartirles esta verdad, pero sí quiero reiterar que necesitamos conocer dos asuntos. Tenemos dos opciones.

Después de haber creído en el Señor, debemos aprender, por una parte, a conocer la voluntad y la obra de Dios, y por otra, a conocer Sus caminos y la forma en que se relaciona con nosotros. El viaje del siervo de Abraham fue muy próspero, pero tenía una característica especial: la reacción que tenía frente a todo lo que se le presentaba era adorar inmediatamente a Jehová.

Como ya dijimos, si realmente deseamos adorar a Dios, encontraremos vez tras vez que El nos da muchas oportunidades para hacerlo. Cuando este mayordomo llegó a las afueras de la ciudad, adoró a Dios, y volvió a hacerlo a la puerta de la casa de Labán. Después de entrar, adoró nuevamente. Cuando adoramos a Dios la primera vez, El nos dará una segunda oportunidad de adorarlo. El hará que lo adoremos con admiración inefable. Luego hará que las circunstancias nos lleven a no tener otra alternativa que adorarle. Muchas veces Dios nos dará un viaje próspero. En tales casos, debemos confesar que no es por nuestra propia mano ni por nuestra habilidad. No sucedieron las cosas porque tuviésemos mucha astucia, sino porque Jehová lo dispuso todo. Jehová nos condujo; por lo tanto, a El debe dirigirse toda la gloria.

Por acordarse
de nuestras aflicciones

El segundo caso se encuentra en Exodo 4, cuando Dios envió a Moisés a decir a los hijos de Israel que los había visitado y que los libraría de la esclavitud de Egipto. No tendrían que coser ladrillos, que fue el material usado en la torre de Babel. El versículo 31 dice: "Y el pueblo creyó; y oyendo que Jehová había visitado a los hijos de Israel, y que había visto su aflicción, se inclinaron y adoraron". ¿Tenemos personas entre nosotros que adoran a Dios por lo que El hace? Muchas veces parece que Dios nos estuviera guiando de la misma manera que guió al siervo de Abraham. Cuando nuestro camino es próspero, no podemos evitar adorar a Dios. Pero ésta situación es diferente, pues ellos adoraron a Dios por haberlos visitado y por ver su aflicción. Dios sólo les dijo a los hijos de Israel por medio de Moisés y de Aarón que se había acordado de ellos, aunque ya habían pasado cuatrocientos treinta años. El los había visitado y había visto su aflicción y lo que les acontecía. Cuando los israelitas entendieron que Dios se había acordado de ellos, los había visitado y veía su aflicción, se inclinaron y adoraron.

Muchas veces nuestros hermanos y hermanas sufren tribulaciones. No pueden adorar a Dios porque creen que El se olvidó de ellos. Muchos tienen dificultades domésticas, pero éstas nunca duran cuatrocientos treinta años. ¿Cómo podemos decir que Dios se ha olvidado de nosotros? Quizás los hijos de Israel hayan dicho: "Hemos sido esclavos durante tantos años; a Dios ya no le importa". Asimismo, nosotros quizá hayamos dicho: "He estado enfermo por mucho tiempo; Dios no quiere sanarme. He estado sin empleo por años, pero Dios no quiere abrirme un camino. Mi esposo aún no es creyente; todavía hay problemas en mi familia". Tal parece que Dios se olvidó de nosotros, de nuestras dificultades y de nuestros sufrimientos. Pero si decimos tales cosas, no adoraremos a Dios y ni siquiera podremos pronunciar una palabra de adoración hacia El. Pero el día vendrá en que veremos a Dios. Lo conoceremos y entenderemos Sus caminos, y veremos que no se olvidó de nuestra situación. Reconoceremos que todo lo que atravesamos redundó en nuestro bien;

inclinaremos la cabeza y le diremos: "Dios, te adoro". No podremos abstenernos de adorar a Dios debido a nuestra gratitud. Le diremos: "Dios, te adoro por toda la gracia y las bendiciones que me has dado".

Por Su Salvación

En Exodo 12:27 Dios mandó que los israelitas enseñaran a sus hijos el significado de la pascua: "Es la víctima de la pascua de Jehová, el cual pasó por encima de las casas de los hijos de Israel en Egipto, cuando hirió a los egipcios, y libró nuestras casas". ¿Cómo recibieron los israelitas este mensaje? "Entonces el pueblo se inclinó y adoró". El pueblo adoró a Dios. Recuerden que en el Antiguo Testamento el sacrificio de la pascua no era una ofrenda por el pecado, sino un sacrificio recordatorio que llevaba al pueblo a adorar a Dios. Dios dio muerte a los primogénitos de todas las casas de los egipcios, pero pasó de largo sobre todas las casas de los hijos de Israel. Al recordar la separación que Dios había establecido entre ellos y los paganos y al traer a la memoria los diferentes lugares por los que habían sido traídos, no podían evitar adorarlo.

La pascua, así como la reunión de la mesa de nuestro Señor, es un sacrificio y una fiesta que traen a la memoria la obra del Señor y nuestra separación con el mundo, lo cual suscita adoración en nuestros corazones. Nos preguntamos por qué nos escogió Dios y por qué nos sentimos constreñidos a adorarlo por habernos elegido. En muchas ocasiones la gracia de Dios sólo nos lleva a dar gracias, mas no a adorar. Sin embargo, cuando vemos los caminos de Dios, no podemos abstenernos de adorarle. Cuando los israelitas vieron los caminos de Dios, no tuvieron más que decir: "Dios, hay tantas personas en Egipto, ¿por qué pasaste por encima de las casas de los hijos de Israel y heriste las casas de los egipcios? Todo primogénito de entre los egipcios murió. ¿Por qué fueron salvos los hijos de los israelitas? Dios, ¿qué asombroso que hiciste esto?" Cuando veamos lo que Dios ha hecho y la manera como nos escogió, lo adoraremos. Los métodos que Dios utiliza para actuar son lo que llamamos Sus caminos. Dios no solamente nos da gracia lo cual nos motiva a adorarle; también los caminos que elige para dárnosla nos inducen a adorarle.

¿Han meditado ustedes al respecto?

Con frecuencia pienso en aquella época cuando recibí al Señor siendo un estudiante. Había más de cuatrocientos estudiantes en aquel colegio. Dios no escogió a ninguno de ellos. ¿Por qué me escogió Dios a mí? Mi padre tenía doce hijos, de los cuales Dios sólo me escogió a mí. Cuando pensamos en la manera en que Dios nos escogió, no sólo pensamos en la gracia de Dios, no simplemente damos gracias, sino que además adoramos a Dios por la forma en que El opera. Adorar es reconocer que Dios escogió ese camino para darnos Su gracia. No es sólo la gracia concedida por Dios, sino la manera en que nos fue dada. Puesto que El decidió darnos Su gracia de esta manera, debemos decir: "Dios, te adoro. Estos son Tus caminos. Tú eres Dios".

Hermanos y hermanas, ¡éstos son los caminos de Dios! Tal vez le preguntemos por qué nos salvó. Permítanme decirles que El nos salvó porque fue Su deleite escogernos. El quería esto, y dispuso que así sucediera. No tenemos nada más qué decir. Lo único que podemos hacer es postrarnos delante de El, diciendo: "Dios, te adoro. No sólo tienes gracia para dar, sino que también escogiste caminos maravillosos para dispensarla". Los hijos de Israel no meramente le dieron gracia a Dios después de ver esto, sino que también lo adoraron.

Al partir el pan, cuando contemplamos la gracia por la cual nos salvó, nos justificó, nos regeneró, y nos hizo Sus hijos a nosotros los pecadores, damos gracias a Dios. Pero cuando pensamos en la manera en que El escogió perdonar nuestros pecados, el proceso por el que pasó para justificarnos, y los sufrimientos que le costaron sacarnos del lodo y de la inmundicia, de entre tantas otras personas que nos rodeaban y cuando pensamos en que casualmente estábamos en cierta iglesia y por coincidencia escuchamos el evangelio predicado por la persona correcta, y en la manera que nos condujo a recibirlo, recordamos Sus caminos. No sólo damos gracias, sino también adoración. Adoramos al Dios que ordena nuestro camino. Cuando conocemos los caminos de Dios, no podemos abstenernos de adorarlo.

Hay algo maravilloso en este versículo. Cuando los hijos de Israel escucharon la palabra, se inclinaron y adoraron. Moisés no les dijo que hicieran esto; no les dijo que debían adorar. Simplemente la palabra de

Dios los instó a hacerlo, y ellos espontáneamente adoraron. Adorar no requiere instrucción, exhortación ni un ejercicio mental. Cuando vemos los caminos de Dios, espontáneamente le adoramos.

Por la proclamación de Sus caminos

En Exodo 32—34 leemos de una serie de dificultades que tuvo Moisés. Dios le dio dos tablas de piedra con los diez mandamientos inscritos en ellas. Mientras Moisés aún estaba en el monte, se presentó un problema entre los israelitas que esperaban al pie del monte. Hicieron un becerro de oro y lo adoraron.

Esto provocó la ira de Dios, quien le dijo a Moisés: "Anda, desciende, porque tu pueblo que sacaste de la tierra de Egipto se ha corrompido. Y pronto se han apartado del camino que yo les mandé; se han hecho un becerro de fundición, y lo han adorado, y le han ofrecido sacrificios, y han dicho: Israel, estos son tus dioses, que te sacaron de la tierra de Egipto. Dijo más Jehová a Moisés: Yo he visto a este pueblo, que por cierto es pueblo de dura cerviz. Ahora, pues, deja que se encienda mi ira en ellos, y los consuma; y de ti yo haré

21

una nación grande" (32:7-10). Dios estaba sumamente enojado; así que Moisés rogó a Dios, y luego descendió del monte para resolver el asunto. Después, volvió a subir al monte en obediencia al mandato de Dios y cortó otras dos tablas de piedra. Con éstas en su mano, volvió a la cima del monte Sinaí. Allí hizo Dios una proclamación solemne. Primero dijo: "¡Jehová! ¡Jehová! fuerte, misericordioso y piadoso; tardo para la ira, y grande en misericordia y verdad; que guarda misericordia a millares, que perdona la iniquidad, la rebelión y el pecado" (34:6-7). No nos sorprende que en ese momento Moisés se hubiese postrado a adorar a Dios; lo asombroso fue que se apresuró a hacerlo al final de la proclamación. La segunda parte de la proclamación fue totalmente diferente a la primera. La primera parte hablaba de la compasión, la gracia, la misericordia y el perdón de Dios, pero en la segunda parte dijo: "Y que de ningún modo tendrá por inocente al malvado; que visita la iniquidad de los padres sobre los hijos y sobre los hijos de los hijos, hasta la tercera y cuarta generación". Después de que Dios hubo proclamado la grandeza de Su majestad, "Moisés, apresurándose, bajó la cabeza hacia el suelo y adoró" (v. 8). El conocimiento de Dios no se limita a la gracia. Si fuese solamente un asunto de gracia, ya todo habría terminado y no habría problema, pero también necesitamos conocer la santidad de Dios.

Me agradan mucho los versículos 8 y 9 del capítulo treinta y cuatro. En el versículo 9 Moisés ora, pero en el anterior adora. Primero adora y luego ora. Reconoce lo rectos que son los caminos de Dios, y luego busca la gracia de Dios. El no dijo: "Tú eres tardo para la ira, grande en misericordia y siempre dispuesto a perdonar, así que por favor, ten misericordia de nosotros y no lleves a cabo lo que has planeado". Quizás nosotros habríamos orado así: "No hagas lo que ibas a hacer. Aunque éste sea Tu camino, no lo hagas". Moisés era muy diferente a nosotros. El tomó la debida postura delante de Dios y confesó que los caminos de Dios eran rectos. Hermanos y hermanas, ¿hemos reconocido alguna vez que los caminos de Dios son rectos? ¿Le hemos pedido alguna vez a Dios que haga algo que sabíamos que era contrario a Su proceder normal? ¿Alguna vez le hemos suplicado que perdone a cierto hermano y que no lo castigue, aun sabiendo que dicho castigo es justo? Si oramos de esta forma, no estamos adorando a Dios. De hecho estamos diciendo: "Oh Dios, por favor cambia Tus caminos; no le impongas esta carga, no permitas que tal hermano esté enfermo, no permitas que tenga dificultades domésticas". Orar de esta forma es buscar la gracia sin tener en cuenta los caminos de Dios. Al orar así, nos ponemos por encima de Dios; no nos estamos identificando con los caminos de Dios. Moisés primero reconoció la autoridad y los caminos de Dios. Dios declaró que de ninguna forma tendría por inocente al malvado, que visitaría la iniquidad de los padres sobre los hijos de los hijos hasta la tercera y cuarta generación. Moisés se sometió inmediatamente, diciendo: "Oh Dios, Tú eres justo, Tus caminos son rectos y te adoro. Ya que has decidido hacer esto y puesto que tal es Tu proceder, sólo puedo adorarte". Después de esto oró pidiendo gracia si había hallado favor a los ojos de Dios, y si Dios aún estaba dispuesto a estar en medio de Su pueblo, pero sólo después de haber adorado a Dios.

Es posible que vayamos a la casa de un hermano y nos enteremos de que su hijo está enfermo. Al arrodillarnos con los padres para orar, inmediatamente nos damos cuenta de que Dios no es adorado en esa casa: Sabemos que Dios no recibe adoración en ese lugar. Al arrodillarse a orar, las primeras palabras que salen de los padres son: "Oh Dios, sana a mi hijo; mi hijo no debe morir; tienes que sanarlo". Le indican a Dios lo que debe hacer. Ya han decidido los caminos de Dios por El. Cuando ellos empiezan a orar, vemos que Dios no es adorado. No quiero decir que no reconozcamos a Dios como nuestro Padre, sino que necesitamos conocerle no sólo como nuestro Padre, sino también como Dios. Una cosa es que El sea el Padre, y otra completamente diferente es que El sea Dios. Tal vez visitemos a otro hermano, y también haya un niño enfermo en la casa. Al arrodillarnos a orar con los padres, tal vez oren: "Dios, te alabamos porque nunca te equivocas. Te alabamos por permitir que nuestro hijo se enferme. Tú nunca te equivocas; por tanto, te adoramos. Todo lo que Tú haces es bueno. Si te place llevarte al niño, aceptaremos Tu voluntad, pero si te place concedernos misericordia, te pedimos que lo sanes". Es apropiado orar, y nuestra adoración no debe reemplazar nuestra oración; pero debemos adorar primero y luego orar. Orar es decir lo que nosotros queremos; la adoración consiste en reconocer el deseo y la voluntad de Dios, mientras que la oración expresa nuestro deseo y nuestra voluntad.

¡Cuánto necesitamos aprender de la manera como Moisés actuó en Exodo 34:8-9! El vio que Dios era severo, y no podía hacer otra cosa que arrodillarse y adorar. Moisés no discutió con Dios y tampoco le preguntó qué sucedería si llevaba a cabo tal castigo. El no dijo: "Si no perdonas el pecado de los israelitas, ¿qué harán? Si castigas su iniquidad hasta la tercera y cuarta generación, ¿qué haré yo? He guiado a este pueblo en vano. Ya han pasado cuarenta años; no puedo esperar otras tres o cuatro generaciones. Estoy acabado. He trabajado en vano". Moisés no exhortó a Dios a que desistiera de Su idea. Por el contrario, adoró a Dios. No sé qué más decir. La necesidad más grande entre los creyentes hoy es conocer los caminos de Dios y aceptarlos. No importa cuánto me afecte ni el deseo que yo tenga. (Moisés tenía un deseo. El deseo que lo consumía era entrar a la tierra de Canaán). Sin embargo, Moisés dijo primero: "Tu tienes razón en lo que deseas; te adoro". Hermanos y hermanas, no sólo debemos aprender a hacer la voluntad de Dios y aceptar Sus acciones, sino que también debemos deleitarnos en los caminos de Dios y en Sus decisiones. Nos debe gustar lo que a Dios le agrada.

El capitán del ejército de Jehová

En el libro de Josué, Dios dio a Josué la comisión de guiar a los israelitas e introducirlos en la tierra de Canaán. ¡Qué responsabilidad tan grande! Tanto Moisés como Aarón habían muerto. La única persona que quedaba era el joven Josué. Quienes podían llevar esta carga ya no estaban. ¿Qué podía hacer este joven? ¿Cómo debió haberse sentido? Moisés, maduro y experimentado, no había logrado introducir aquel pueblo en la tierra prometida. ¿Cómo podía hacerlo un joven como él? ¿Cómo podría enfrentarse a las siete temibles tribus que habitaban en la tierra de Canaán? ¿Y cómo podría guiar a un pueblo como los hijos de Israel con su constante temor de morir y sus persistentes quejas? Josué tenía este reto por delante. ¿Podríamos culparlo por sentirse agobiado con dicha responsabilidad? No, no podríamos. Si estuviéramos en las mismas circunstancias, también nos sentiríamos agobiados.

En ese momento Josué tuvo la visión de un varón que tenía una espada desenvainada. Josué no conocía a este varón; así que le preguntó: "¿Eres de los nuestros, o de nuestros enemigos?" (5:13). Debemos prestar especial atención a esta pregunta. ¿Qué respondió el varón? Muchos creen, erróneamente, que el varón había venido a ayudar a Josué, pero ésa no fue la respuesta del varón. El respondió: "No", es decir, "no estoy aquí ni para ayudarte, ni para ayudar a tus enemigos. Estoy aquí con una sola comisión, 'como Príncipe del ejército de Jehová he venido ahora' (v. 14)". Damos gracias a Dios por actuar así. ¡Agradecemos a Dios porque esto lo hace el Señor Jesús! El no nos ayuda a nosotros ni a nuestros enemigos, sino que viene como Príncipe del ejército de Jehová. Si somos parte del ejército de Dios, entonces él viene como nuestro Capitán. Lo importante, entonces, no es si se recibe ayuda, sino si se acepta el liderazgo. El no ha venido a ofrecernos ayuda, sino a demandar sujeción. El no viene para ayudar, sino para conducir. ¿Cómo reaccionó Josué al escuchar las palabras del varón? "Josué, postrándose sobre su rostro en tierra, le adoró".

Hermanos y hermanas, debemos conocer los caminos de Dios, y éste es otro de Sus caminos. Dios no hace nada para ayudarnos ni para ayudar a nuestros enemigos. Dios no se pone en medio del conflicto ayudando parcialmente aquí o allá. Dios desea ser el Capitán, y como tal, exige nuestra sumisión. Ante tantos enemigos, la necesidad no habría sido respondida si Dios se limitara a ayudarnos. Someternos a El resuelve el problema.

Lo importante no es si Dios nos está ayudando o no, sino si nos sometemos a Su liderazgo. Cuando El está al mando, todo marcha bien. Entre los hijos de Dios predomina el gran problema de que queremos que todo a nuestro alrededor se resuelva y que todo sirva a nuestros intereses. Pero Dios no permitirá esto. El desea llevarnos al punto en que simplemente nos sometamos a El. Cuando este asunto se resuelve, inmediatamente desaparecen todos nuestros problemas.

Josué se postró con su rostro en tierra y adoró. Si conocemos los caminos de Dios al reconocerlo como nuestro Capitán, Dios se encargará de todo, y nosotros le adoraremos. Dios no viene a ayudarnos en la batalla, sino a dirigir las tropas. Si tenemos la esperanza de que El nos ayude en la guerra, no le hemos entendido. Dios vino a guiar las tropas. Debemos someternos a El. Cuando descubrimos el verdadero significado de la adoración, también vemos que hay una espada desenvainada a nuestro favor.

Por abrir el camino

En el libro de Jueces tenemos una sección que habla de Gedeón. En el capítulo siete Gedeón estaba intranquilo, pues no sabía si ganaría la batalla. El descendió al campamento de los madianitas y allí escuchó que uno le decía a otro: "He aquí yo soñé un sueño: Veía un pan de cebada que rodaba hasta el campamento de Madián, y llegó a la tienda, y la golpeó de tal manera que cayó, y la trastornó de arriba abajo, y la tienda cayó. Y su compañero respondió y dijo: Esto no es otra cosa sino la espada de Gedeón hijo de Joás, varón de Israel. Dios ha entregado en sus manos a los madianitas con todo el campamento. Cuando Gedeón escuchó el relato del sueño y su interpretación, adoró" (vs. 13-15). Gedeón no adoró a Dios simplemente por ser Dios, sino por lo que Dios podía hacer. No solamente adoró a Dios por Su poder, sino también por la manera en que derrotaría a los madianitas, por su elección y por la manera en que se había complacido en luchar contra los madianitas. Los caminos y los métodos de Dios provocan la adoración en este pasaje. Alabado sea Dios que a El le es fácil abrirnos un camino. Parece absurdo esperar que trescientos hombres derroten el ejército madianita; sin embargo, Dios puede lograrlo. El quiere que recalquemos constantemente que la porción que espera recibir de Sus hijos es adoración. Esto no significa que la obra de Dios no sea importante, pero sí indica que adorar a Dios es glorificarlo. Esto es lo que Dios requiere de nosotros.

Por conceder un hijo

En 1 Samuel 1 tocamos verdaderamente el espíritu de la adoración. Recordemos que Ana no tenía hijos. Su esposo tenía dos esposas. La otra esposa tenía hijos, pero ella era estéril y sufría mucho a causa de esto. Por tanto, le pedía al Señor que le diera un hijo, y su petición le fue concedida. Tan pronto fue destetado el niño, ella lo llevó al templo en Silo y dijo: "Por este niño oraba, y Jehová me dio lo que pedí. Yo, pues, lo dedico también a Jehová; todos los días que viva, será de Jehová. Y adoró allí a Jehová" (1 S. 1:27-28). ¿Podemos ver estas dos frases? A mí me parecen valiosísimas. Leámoslas juntos. "Jehová me dio ... Yo, pues, lo dedico también a Jehová".

Jehová le dio el niño, y ella se lo devolvió. Ninguna respuesta es mejor que ésta. La suma de todas sus peticiones a Dios era este niño. Ella había sufrido toda su vida. La esperanza que ella abrigaba era tener este hijo, pero ¿qué dijo al final? "Lo que me has dado, te lo devolveré; te devolveré la porción que me des". Hermanos, ciertamente puede estar escrito sobre tal persona que ella "adoró a Jehová". En esta ocasión Ana adoró a Jehová. Sólo la persona que desea a Dios mismo más que Sus dones, puede adorarlo de una manera digna. Ana nos mostró lo que era más precioso para ella. No el don de Dios, ni el hecho de que estuviera dispuesto a oír su oración, ni siquiera Samuel, el hijo que ella ofreció, sino la manera en que Dios le dio a Samuel.

Dios le dio a Samuel, y ella se lo devolvió. Cuando lo hizo, adoró a Dios realmente. Tengan presente que una persona que no haya sido consagrada no puede adorar a Dios. Creo que algunos entre nosotros entienden este asunto. El día en que le entreguemos todo a Dios, incluyendo a nuestro "Samuel", será el día en que empezaremos a adorar. El día en que veamos el altar, será el día en que aprenderemos a adorar.

No puedo olvidar a Abraham. Aunque nos hemos referido a él con frecuencia, no puedo evitar mencionarlo de nuevo. No puedo dejar de ser impresionado por la hermosura de las palabras que dijo a sus siervos en Génesis 22. Cuando iba a subir al monte con Isaac, les dijo: "Yo y el muchacho iremos hasta allí y adoraremos" (v. 5). El no dijo que iba a ofrecer un sacrificio ni a presentar una ofrenda, sino que iba a adorar. No era un sacrificio sino una adoración. Su adoración era ofrecer a Isaac ante Dios. Dios se complació en actuar así, y Abraham adoró a Dios por ello. Hermanos y hermanas, no creo que alguien que no lo haya consagrado todo pueda adorar de esta manera. Si no tenemos esta clase de consagración, no podremos adorar. Pero cuando nos llegue la hora, como le llegó a Ana, de consagrar nuestro Samuel, en quien tenemos cifradas todas las esperanzas, y cuando lo entreguemos a Dios, entonces junto con él brotará la adoración. Ana conocía los caminos de Dios. Puesto que Dios le había dado un hijo, ella se lo devolvió, no por un momento, sino por el resto de su vida. Con este acto ella adoró a Dios.

La adoración viene después que uno experimenta la cruz y el altar. Donde están la cruz, el altar, la consagración y la obediencia a los caminos de Dios, está la adoración. Cuando cesemos de laborar para nosotros mismos y dejemos de aferrarnos a las cosas con miras en nuestro propio beneficio, podremos adorar. Adorar es decir que nosotros ya no somos el centro. Adorar significa ponernos a un lado y darle todo el espacio a Dios. Es necesario que nuestro Samuel pase de nuestras manos.

Por vindicarse a Sí mismo

Los caminos de Dios no siempre concuerdan con lo que hemos pedido en oración, y viceversa. Los caminos de Dios no siempre significan prosperidad para nosotros; no es de extrañar que traigan adversidad. ¿Cuál debe ser nuestra actitud hacia los caminos de Dios? Recuerden el relato del pecado de David en 2 Samuel 12. Betsabé quedó encinta, y Dios envió al profeta Natán con el mensaje de que el niño moriría. David había pecado, y aunque este hijo era el fruto de su pecado, él, como cualquier padre, lo amaba. ¿Qué hizo? Oró a Dios sin cesar, con la esperanza de que lo sanara. Pero Dios dijo: "Por cuanto con este asunto hiciste blasfemar a los enemigos de Jehová, el hijo que te ha nacido ciertamente morirá" (v. 14). Todos ustedes saben que David sabía orar. Podemos ver lo bien que oraba en los Salmos. David no sólo oró, sino que también ayunó. Toda la noche la pasó postrado en tierra, orando fervientemente. Pero a pesar de eso, el niño murió.

Quienes no se hayan consagrado ni conozcan a Dios ni se hayan sujetado verdaderamente a El, después de orar con tanta insistencia, tan fervientemente y con ayuno, postrados toda la noche en tierra, seguramente acusarían a Dios de ser demasiado rígido por no concederles lo que piden. Muchos dirían que Dios es muy severo y no lo volverían a adorar. Dejarían de asistir a la reunión del partimiento del pan, de pedirle a Dios y de orar. Muchas personas disputan con Dios cuando los caminos de El no concuerdan con los de ellos. Pelean y discuten con Dios. Le preguntan por qué les hizo tal cosa. Muchos no se someten a los caminos de Dios. Dicen: "No puedo aceptar el hecho de que me hayas quebrantado de esa manera". Puede que no lo digan en voz alta, pero disienten en sus corazones y piensan que Dios es cruel.

Lo extraño es que algunos se hubieran rebelado o se hubiesen desanimado o hubiesen murmurado, pero David no lo hizo. Cuando el niño murió, sus siervos tuvieron temor de darle la noticia; pensaron que si David había estado tan afligido y preocupado cuando el niño aún vivía, su dolor sería insoportable al enterarse de que había muerto. ¿Qué sucedió? "David se levantó de la tierra, y se lavó y se ungió, y cambió sus ropas, y entró a la casa de Jehová y adoró. Después vino a su casa, y pidió, y le pusieron pan, y comió" (v. 20). Adorar es doblegarse ante los caminos de Dios. Adoramos cuando nos sometemos a los caminos de Dios y no nos desanimamos ni murmuramos ni nos amargamos ni disputamos con El. Por el contrario, le decimos: "Dios, tienes razón en todo". Esto es adorar a Dios por Sus caminos.

Con frecuencia es necesario que Dios se vea obligado a vindicarse. ¿Podemos entender lo que esto significa? Al vindicarse deja en claro ante los ángeles, el diablo, el mundo y todos Sus hijos que El no participa de lo que nosotros hacemos. Por esta razón, Dios nos pone en el fuego, y Su autoridad actúa sobre nosotros y no nos deja escapar. ¿Cómo reaccionamos en tales circunstancias? Aquellos que conocen y aman a Dios, aquellos que tienen una revelación de El y han visto Su apariencia, se postrarán delante de Dios y dirán: "Si mi sufrimiento exalta Tu santidad, entonces diré: Amén. Si puedes dar a conocer Tu santidad por medio de mis tribulaciones, entonces reconozco que todas las cosas las haces bien. Si Tu naturaleza puede ser exaltada de esta manera, acepto con gozo los sufrimientos que me causas". De esta manera adoramos a Dios.

Observen en esta experiencia que David actuó como un ser humano normal. En muchas ocasiones la Palabra de Dios nos muestra los sentimientos de las personas. David no era insensible en cuanto a su hijo, ni descuidó su oración por él. Amaba a su hijo y oró por él, pues no carecía de afecto humano. David era como cualquier otra persona. Muchas personas espirituales parecen vivir en una esfera etérea; no parece que tuvieran los pies en la tierra. No actúan como seres humanos normales y son bastante peculiares. Por el contrario, David era una persona normal, pues tenía sentimientos y afectos. Sin embargo, cuando vio lo que Dios había dispuesto, se inclinó en Su presencia y le adoró.

¡Que Dios nos libre de estar en desacuerdo con El! Frecuentemente no recibimos lo que esperamos, anhelamos o pedimos. Si tenemos la visión, diremos: "Dios, éste es Tu camino; me inclino ante Ti en adoración, pues sé que Tú nunca te equivocas". Hermanos y hermanas, permítanme decir una vez más que nadie puede adorar a Dios sin someterse a Sus caminos. A fin de poder reconocerlo en Sus caminos, es indispensable que nos sujetemos a El. Sin revelación no podemos adorar a Dios ni reconocer Sus caminos. Necesitamos ser llevados al punto en que digamos: "Dios, me someto a Ti, aún si me despojas de lo que más estimo y valoro. Mi sumisión es adoración. Tú eres Dios y jamás te equivocas. Tus caminos nunca se desvían. Te alabo a Ti".

La bendición más grande de mi vida es haber conocido a la señorita Barber. Decenas de veces, quizás centenares, la oí orar: "Señor, te adoro por Tus caminos". Yo sabía que ésta era su oración más profunda. Muchas veces dijo en oración: "Dios, reconozco Tus caminos". Tengan presente que los caminos de Dios no siempre significan que nuestros caminos prosperarán ni que siempre todo nos beneficiará. El no siempre hace caso a nuestra oración. Puede ser que hayamos orado con ayuno, pero pero después de eso "el niño muere". Entonces, debemos decir: "Dios, te adoro". En tales circunstancias debemos seguir adorando a Dios y reconociendo Sus caminos.

Por despojarnos

Finalmente, necesitamos comprender que Dios a veces no hace lo que pedimos en oración porque desea quebrantarnos, como lo hizo con David, o porque desea ser exaltado en Su santidad. En el siguiente ejemplo tenemos a Job. El era recto y tenía hijos, ganado y ovejas. Un día un siervo vino a contarle que los sabeos se habían llevado todo su ganado. Después otro siervo vino y contó que había descendido fuego del cielo y había consumido todos sus rebaños sin dejar nada. Aún otro siervo llegó y dijo que los caldeos se babían llevado todos los camellos y que no le quedaba nada. Finalmente, otro siervo vino y le dijo que un gran viento del lado del desierto había destruido su casa y dado muerte a todos sus hijos. Cuatro diferentes siervos habían venido a decirle que no le había quedado nada (Job 1:13-18). Entonces Job, a quien el Señor conocía por su paciencia, se levantó, rasgó su manto, rasuró su cabeza y se postró en tierra y adoró (v. 20). Esto fue lo primero que él hizo. No sólo adoro a Dios, sino que también reconoció Sus caminos. Por favor, recuerden que en este caso no había un elemento que hiciera necesario que Dios defendiera Su santidad, como en el caso de David. En este caso simplemente Dios actuó como quiso. Ahora sólo había pena y dolor. Todo lo perdió en un sólo día. En cuestión de un minuto fue despojado de todo. Pero Job se sometió a los caminos de

Dios. El pudo decir: "Dios, Tú has obrado bien".

Hermanos y hermanas, no sé por lo que puedan haber pasado, pero sí sé que Dios despoja a muchos, haciendo que sufran pérdidas y cerrándoles las puertas. Quisiera saber cómo reaccionan ante esto. Muchos se rechazan a sí mismos y dejan de recibir la bendición porque se quejan, luchan y lo ponen todo en tela de juicio. Murmuran para sí: "¿Por qué otros no tienen estas dificultades? ¿Por qué soy yo el único que tiene problemas? A todos lo que tocan se les convierte en oro, pero a mí hasta el oro se me vuelve barro; me va mal en todo lo que toco". Ellos no entienden por qué a otros les va bien mientras que ellos mismos no salen de sus problemas. Todo es fácil para otros creyentes, pero para ellos nada es fácil. Quizás ellos puedan hacer las cosas mejor que otros, pero se encuentran con muchas dificultades. Permítanme decirles que no importa lo que digamos, de todos modos necesitamos aprender a reconocer los caminos de Dios. Dios se ocupa de nosotros, de nuestros amigos y de todo lo que nos rodea. Los caminos que El ha ordenado para nosotros son buenos, sea que nos traigan penas o alegrías. Una vez que nos sometamos a los caminos de Dios, adoraremos.

La verdadera adoración no se queja. Job 1:20 nos dice que debemos aceptar los caminos del Señor sin preguntar; no importa si las circunstancias son buenas o malas. Practicar esto es verdadera adoración. No sé cuales sean los caminos de Dios en nuestras vidas. No importa si Dios da una explicación para nuestro sufrimiento o no; El es bueno siempre. A causa del pecado de David Dios tenía una razón para defender Su santidad, lo cual explica su sufrimiento. Pero en muchas ocasiones no hay razón alguna, ni ningún pecado. No somos peores que los demás creyentes; incluso en alguna medida tal vez seamos mejores. Entonces, ¿por qué nos encontramos con estas dificultades? Sólo debemos adorar a Dios desde lo profundo de nuestros corazones y someternos a Sus caminos. Debemos decirle: "Dios, lo que Tú has hecho es lo mejor. Me postro ante Ti en adoración porque lo que has hecho es lo mejor".

Que Dios nos conceda gracia desde este día para que le ofrezcamos no sólo la adoración que nace de la revelación sino también la adoración que se expresa en

sumisión y en consagración. Existen dos
aspectos de la adoración; uno viene de la
revelación, y es la revelación de Dios
mismo; el otro es reconocer los caminos de
Dios y someternos a ellos. Debemos estar
dispuestos a decir que todo lo que Dios
haga con nosotros está bien. Lo que Dios
haga es siempre correcto.

Oración

Oh Dios, Dios nuestro, deseamos postrarnos y adorarte. Todo lo que has ordenado
es bueno. Aunque muchas veces escoge-
mos nuestro propio camino, Tú nos lo
impides y no nos dejas prosperar. Parece
que nos arrinconaras. Queremos decirte
que esto es lo mejor si a Ti te agrada. No
podemos preguntarte por qué haces esto.
No podemos preguntarte por qué has
tratado a nuestros hermanos de cierta
manera y a nosotros de otra. No te preguntamos por qué le has dado gracia a
algunos hermanos y a nosotros no. Deseamos aceptar Tus caminos y someternos
sean razonables o no. Enséñanos a ver
nuestros caminos y a ver los Tuyos. Tú no
necesitas darnos una explicación de lo que
haces. Lo que hagas está bien. Haz que
dejemos de discutir y argumentar sobre

cada asunto. Sálvanos de todos los "por qués". Sálvanos de todo cuestionamiento. Te pedimos que nos rescates. Lleva nuestros corazones hasta el punto en el que vengamos a ser el estrado de Tu trono, donde posas los pies. Ayúdanos a someternos y a adorar. Bendice a nuestros hermanos y hermanas. Te pedimos que nos des Tu gracia. En el nombre del Señor Jesús, amén.